A-Z Street Atlas of SOUTHPORT

Key to Maps

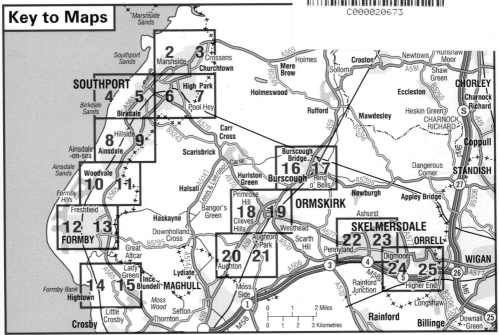

Reference

Motorway	M58	Track	=======
A Road	A565	Footpath	-------
Under Construction		Residential Walkway	··········
Proposed		Railway — Level Crossing / Station	
B Road	B5195	Built Up Area	COURT / ST.
Dual Carriageway		County Boundary	·+·+
One Way A Roads — Traffic flow is indicated by a heavy line on the Drivers left.		District Boundary	·—·—
		Posttown Boundary — By arrangement with the Post Office	
Pedestrianized Road		Postcode Boundary — Within Posttown	— — —
Restricted Access		Map Continuation	▲ 10

Ambulance Station ✚
Car Parks Selected P
Church or Chapel †
Fire Station ■
Hospital H
Information Centre i
National Grid Reference ⁴15
Police Station ▲
Post Office ★
Toilet ▽
Toilet With Facilities for the Disabled ♿

Scale

1:15,840
4 inches to 1 mile

0   ¼   ½   ¾ Mile
0   250   500   750 Metres   1 Kilometre

Geographers' A-Z Map Co. Ltd.

Head Office : Fairfield Road, Borough Green, Sevenoaks, Kent TN15 8PP Telephone 01732 781000
Showrooms : 44 Gray's Inn Road, Holborn, London WC1X 8HX Telephone 0171-242-9246

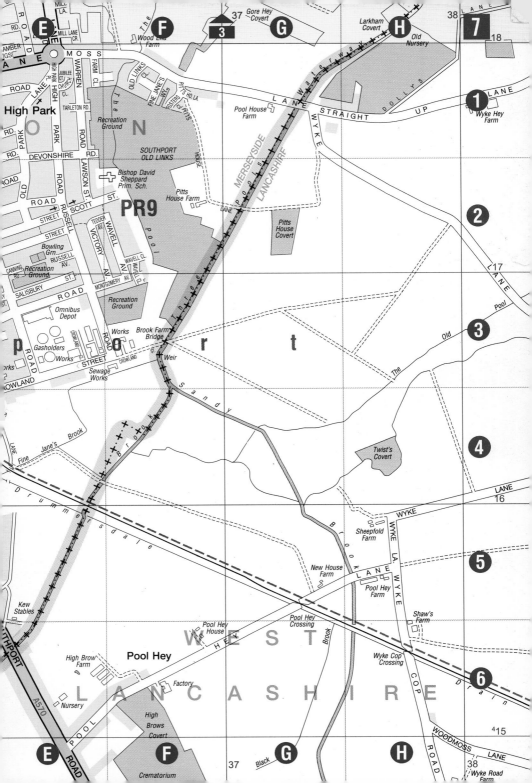

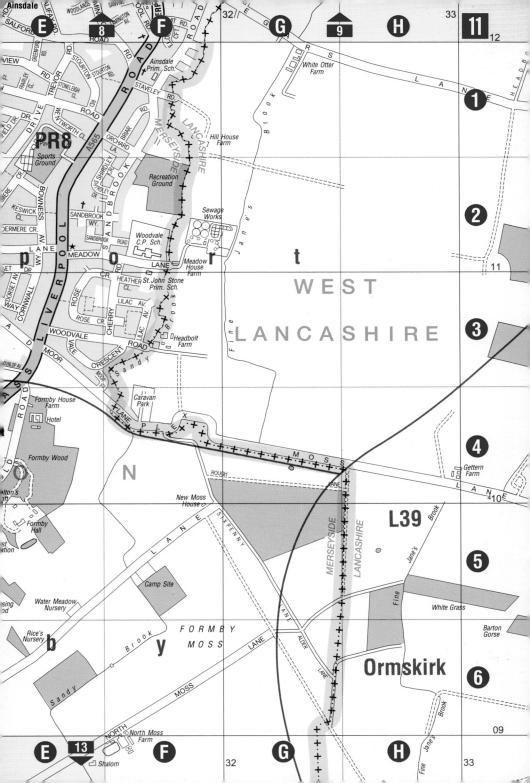

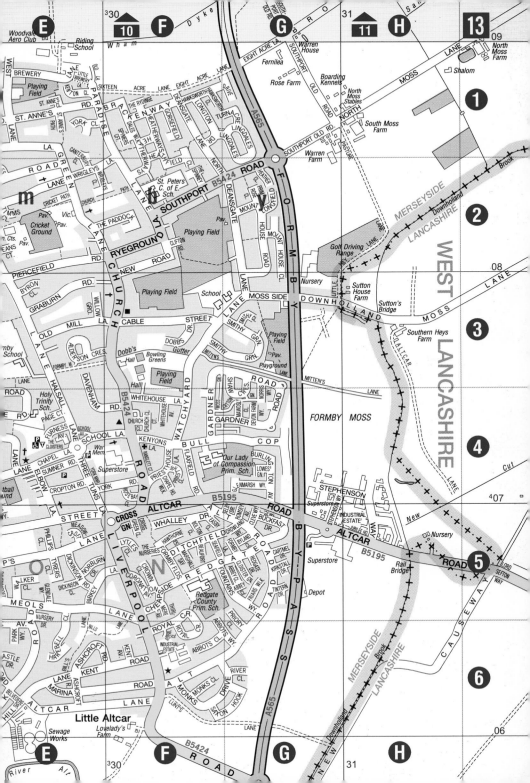

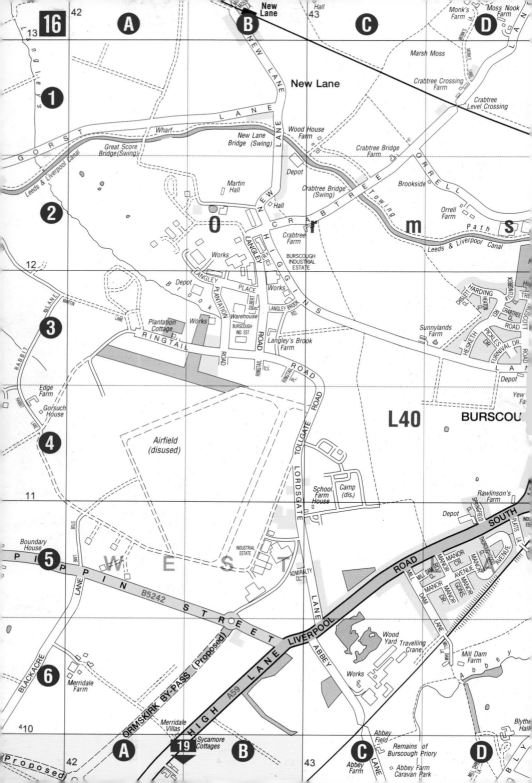

A **B** **C** **D**

New Lane Hall 43 Monk's Farm Moss Nook Farm

Marsh Moss

1

New Lane

Crabtree Crossing Farm

Wharf Wood House Farm

Great Score Bridge (Swing) New Lane Bridge (Swing) Crabtree Bridge Farm Crabtree Level Crossing

Leeds & Liverpool Canal Depot Brookside

2 Martin Hall Crabtree Bridge (Swing) Orrell Farm

O Hall Crabtree Farm **m s**

Langley Burscough Industrial Estate Path

12 Langley Place Leeds & Liverpool Canal

Depot Works Langley Brook Rd. Harding

3 Plantation Works Langley's Brook Sunnylands Farm

Plantation Cottage Warehouse Burscough Ind. Est. Hesketh Pickles Depot

R I N G T A I L Ringtail Ct. Yew Fa

Edge Farm Gorsuch House **L40** BURSCOU

4 Airfield (disused)

11 School Farm House Camp (dis.) Rawlinson's Farm

Depot

Boundary House Industrial Estate SOUTH

5 W E S T Admiralty Cl. Manor Avenue

B5242 Liverpool Manor Dr. Manor Dr.

Wood Yard Travelling Crane Mill Dam Farm

6 Merridale Farm Works Mill Dam Farm

BLACKACRE ORMSKIRK BY-PASS (Proposed) Merridale Villas Sycamore Cottages HIGH LANE A59 Abbey Field Remains of Burscough Priory Blythe Hall

4 10 42 **A** 19 **B** 43 **C** Abbey Farm Abbey Farm Caravan Park **D**

(Proposed)

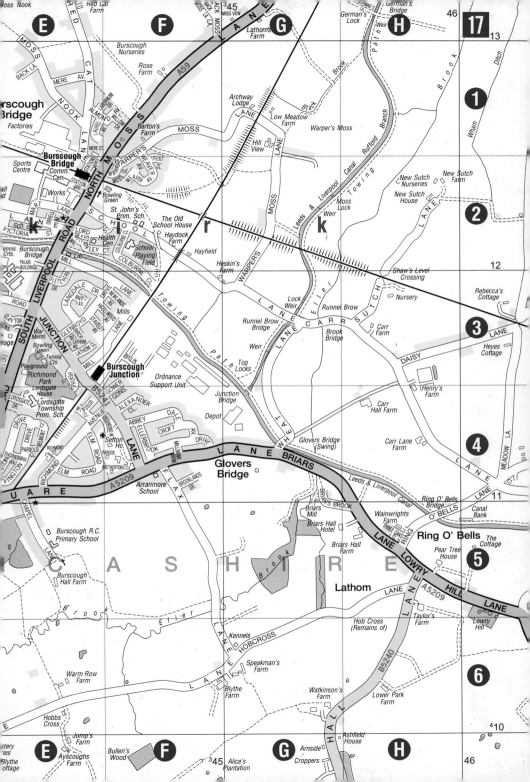

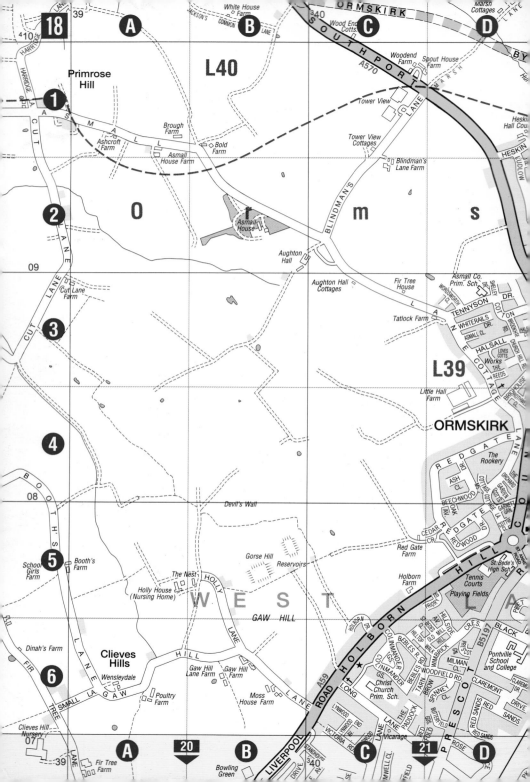

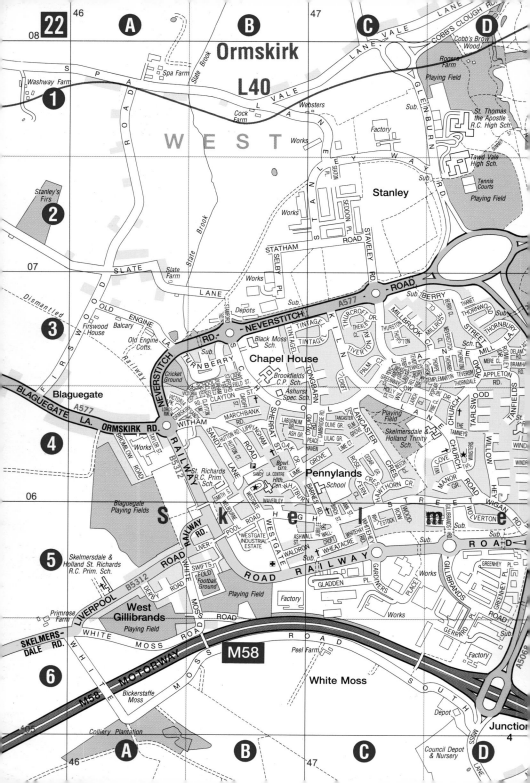

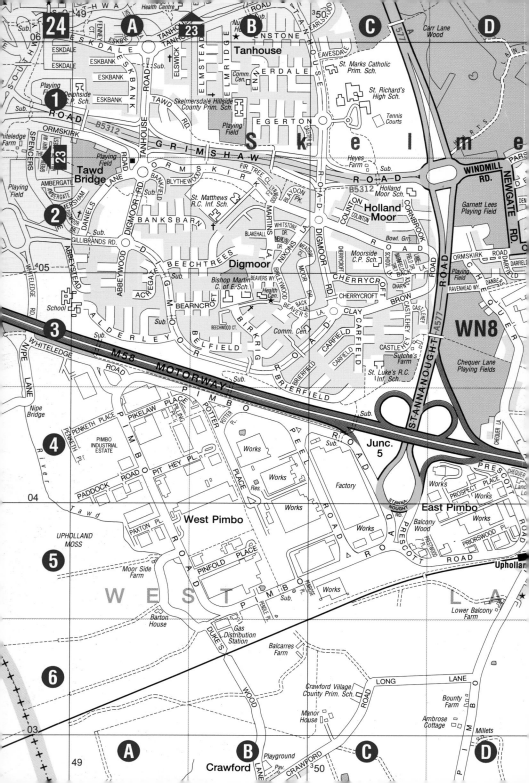

INDEX TO STREETS

HOW TO USE THIS INDEX

1. Each street name is followed by its Postal District and then by its map reference; e.g. Abbey Dale. L40 —4F 17 is in the Liverpool 40 Postal District and is to be found in square 4F on page 17. The page number being shown in bold type.
A strict alphabetical order is followed in which Av., Rd., St., etc. (though abbreviated) are read in full and as part of the street name; e.g. Alderley appears after Alder La. but before Alderson Cres.

2. Streets and a selection of Subsidiary names not shown on the Maps, appear in the index in *Italics* with the thoroughfare to which it is connected shown in brackets; e.g. *Cambridge Walks. PR8 —2H 5 (off Eastbank St.)*

3. With the now general usage of Postcodes for addressing mail, it is not recommended that this index is used for such a purpose.

GENERAL ABBREVIATIONS

All : Alley	Clo : Close	Ind : Industrial	Pl : Place
App : Approach	Comn : Common	Junct : Junction	Rd : Road
Arc : Arcade	Cotts : Cottages	La : Lane	S : South
Av : Avenue	Ct : Court	Lit : Little	Sq : Square
Bk : Back	Cres : Crescent	Lwr : Lower	Sta : Station
Boulevd : Boulevard	Dri : Drive	Mnr : Manor	St : Street
Bri : Bridge	E : East	Mans : Mansions	Ter : Terrace
B'way : Broadway	Embkmt : Embankment	Mkt : Market	Up : Upper
Bldgs : Buildings	Est : Estate	M : Mews	Vs : Villas
Bus : Business	Gdns : Gardens	Mt : Mount	Wlk : Walk
Cen : Centre	Ga : Gate	N : North	W : West
Chu : Church	Gt : Great	Pal : Palace	Yd : Yard
Chyd : Churchyard	Grn : Green	Pde : Parade	
Circ : Circle	Gro : Grove	Pk : Park	
Cir : Circus	Ho : House	Pas : Passage	

INDEX TO STREETS

Abbey Clo. L37 —5G **13**
Abbey Clo. WN8 —2G **25**
Abbey Dale. L40 —4F **17**
Abbey Dri. WN5 —3H **25**
Abbey Farm Caravan Pk. L40 —6C **16**
Abbey Gdns. PR8 —5G **5**
Abbey La. L40 —6C **16**
Abbeystead. WN8 —6F **23**
Abbeywood. WN8 —3A **24**
Abbots Clo. L37 —6F **13**
Abbotsford. L39 —4F **19**
Abbots Way. L37 —6F **13**
Acregate. WN8 —3A **24**
Acre Gro. PR8 —6F **5**
Admiralty Clo. L40 —5B **16**
Aintree Cres. PR8 —5D **6**
Albany Rd. PR9 —6A **2**
Albert Ct. PR8 —6B **2**
Albert Pl. PR9 —1H **5**
Albert Rd. L37 —6A **12**
Albert Rd. PR9 —1A **6**
Albert Ter. PR8 —4G **5**
Alderdale Av. PR8 —6A **8**
Alder La. L39 —6G **11**
Alderley. WN8 —3A **24**
Alderson Cres. L37 —3E **13**
Alexander Clo. L40 —4F **17**
Alexandra M. L39 —3E **19**
Alexandra M. PR9 —1A **6**
Alexandra Rd. L37 —6A **12**
Alexandra Rd. L40 —3D **16**
Alexandra Rd. PR9 —6A **2**
Allerton Rd. PR9 —6C **2**
Alma Clo. WN8 —2G **25**
Alma Ct. WN8 —2G **25**
Alma Grn. WN8 —2F **25**
Alma Hill. WN8 —2F **25**
Alma Pde. WN8 —2G **25**
Alma Rd. PR8 —5G **5**
Alma Rd. WN8 —2G **25**
Alma Wlk. WN8 —2G **25**
Almond Av. L40 —1E **17**
Altcar La. L37 —3H **13**
(Formby Moss)
Altcar La. L37 —6E **13**
(Formby)
Altcar Rd. L37 —5F **13**
Altham Rd. PR8 —6C **6**
Althorpe Dri. PR8 —6C **6**
Alton Clo. L38 —5B **14**
Alt Rd. L37 —6F **13**
Alt Rd. L38 —3C **14**
(in two parts)
Altys La. L39 —5F **19**
Ambergate. WN8 —6F **23**
Amersham. WN8 —6F **23**
Anchor St. PR9 —2H **5**
Andreas Clo. PR8 —5H **5**
Andrews Clo. L37 —5D **12**
Andrews La. L37 —5D **12**
Andrews Yort. L37 —6D **12**

Anne Av. PR8 —5E **9**
Ann St. WN8 —5C **22**
Ansdell Gro. PR9 —3E **3**
Anvil Clo. WN5 —4H **25**
Appleton Rd. WN8 —3D **22**
Arbour St. PR8 —3A **6**
Arcade. PR9 —2H **5**
Arden Clo. PR8 —6A **8**
Ardleigh Av. PR8 —6C **6**
Argameols Clo. PR8 —4D **6**
Argarmeols Gro. L37 —2D **12**
Argarmeols Rd. L37 —1D **12**
Argyle Rd. PR9 —5B **2**
Arlington Clo. PR8 —6A **8**
Arnian Ct. L39 —3E **21**
Arnside Rd. PR9 —2A **6**
Arnside Ter. PR9 —2A **6**
Arundel Rd. PR8 —4F **9**
Ascot Clo. PR8 —4E **5**
Ash Clo. L39 —4D **18**
Ashcroft Av. L39 —3F **19**
Ashcroft Rd. L37 —6E **13**
Ashdale Clo. L37 —5B **12**
Ashdown Clo. PR8 —5C **6**
Ash Gro. L37 —6B **12**
Ash Gro. WN8 —4B **22**
Ashley Rd. PR9 —2A **6**
Ashley Wlk. WN8 —2F **23**
Ashmead Rd. WN8 —1E **23**
Ash St. PR8 —3B **6**
Ashton Pl. PR8 —3H **5**
Ashton Rd. PR8 —2F **9**
Ashton's La. L37 —6B **12**
Ashurst Ct. L37 —5D **12**
Ashurst Gdns. WN8 —1F **23**
Ashurst Rd. WN8 —1F **23**
Ashwall St. WN8 —5B **22**
Ashwood. WN8 —2G **23**
Asland Gdns. PR9 —3G **3**
Asmall Clo. L39 —3D **18**
Asmall La. L39 & L40 —1A **18**
Aspen Gro. L37 —6B **12**
Aspen Way. WN8 —3C **22**
Athole Gro. PR9 —2D **6**
Aughton M. PR8 —4G **5**
Aughton Pk. Dri. L39 —1F **21**
Aughton Rd. PR8 —4G **5**
Aughton St. L39 —5D **18**
(in two parts)
Avenue, The. L39 —3D **18**
(Halsall La.)
Avenue, The. L39 —3E **19**
(Southport Rd.)
Avenue, The. WN5 —6H **25**
Avondale Rd. PR9 —1H **5**
Avondale Rd. N. PR9 —6A **2**
Ayr Clo. PR8 —5D **6**

Bk. Bath St. PR9 —1H **5**
Back Brow. WN8 —2G **25**

Bk. Forest Rd. PR8 —3B **6**
(in two parts)
Back La. L39 —4A **20**
Back La. L40 —1E **17**
Back La. WN8 —3B **24**
Bk. Moss La. L40 —1F **17**
Bk. O'Th' Town La. L38 —4G **15**
Bk. School La. WN8 —3B **22**
(Chapel House)
Bk. School La. WN8 —2G **25**
(Up Holland)
Bk. Virginia St. PR8 —3A **6**
Badgers Rake. L37 —2B **12**
Bakers La. PR9 —4D **2**
Balfour Rd. PR8 —4C **6**
Ball's Pl. PR8 —2H **5**
Balmoral Dri. L37 —6D **12**
Balmoral Dri. PR9 —4F **3**
Bamber Gdns. PR9 —1E **7**
Banastre Rd. PR8 —4G **5**
Bank Av. WN5 —4H **25**
Bankfield. WN8 —6G **23**
Bankfield La. PR9 —5F **3**
Bank Nook. PR9 —4C **2**
Bank Pace. PR9 —1H **3**
Banksbarn. WN8 —6G **23**
Bankside. L38 —4B **14**
Bank Sq. PR9 —1H **5**
Banks Rd. PR9 —2H **3**
Bardsley Clo. WN8 —2E **25**
Barford Clo. PR8 —5A **8**
Barford Clo. WN8 —2E **25**
Barkfield Av. L37 —3D **12**
Barkfield La. L37 —3C **12**
Barnes Rd. L39 —6E **19**
Barnes Rd. WN8 —4C **22**
Barrett Av. PR8 —1G **9**
Barrett Rd. PR8 —1G **9**
Barrington Dri. PR8 —6B **8**
Barton Heys Rd. L37 —6C **12**
Bath Springs. L39 —4F **19**
Bath Springs Ct. L39 —4F **19**
Bath St. PR9 —1H **5**
Bath St. N. PR9 —1H **5**
Battle Way. L37 —5G **13**
Baytree Clo. PR9 —2H **3**
Beacham Rd. PR8 —2C **6**
Beach Priory Gdns. PR8 —3F **5**
Beach Rd. PR8 —3F **5**
Beacon Heights. WN8 —1E **25**
Beacon La. WN8 —1G **23**
Beaconsfield Rd. PR9 —3D **6**
Beacon View Dri. WN8 —2F **25**
Bearncroft. WN8 —3A **24**
Beatty Rd. PR8 —4C **6**
Beaufort. L37 —5F **13**
Beaumont Cres. L39 —1F **21**
Beavers La. WN8 —3B **24**
Beavers Way. WN8 —3B **24**
Bebles Rd. L39 —6C **18**
Bedford Rd. PR8 —1G **9**

Beech Clo. WN8 —4C **22**
Beech Dri. L37 —3C **12**
Beechfield Gdns. PR8 —3F **5**
Beechfield M. PR9 —2H **5**
Beech Gro. PR9 —2C **6**
Beech Meadow. L39 —5G **19**
Beech Rd. L39 —5C **20**
Beechtrees. WN8 —6G **23**
Beechwood. WN8 —2G **23**
Beechwood Ct. WN8 —3B **24**
Beechwood Dri. L37 —6B **12**
Beechwood Dri. L39 —4D **18**
Belfield. WN8 —3B **24**
Belgrave Pl. PR8 —6F **5**
Belgrave Rd. PR8 —6F **5**
Bellis Av. PR9 —5D **2**
Belmont Av. WN5 —6H **25**
Belmont Clo. L40 —4E **17**
Belmont St. PR8 —3G **5**
Belvedere Dri. L37 —6E **13**
Belvedere Pk. L39 —4E **21**
Belvedere Rd. PR8 —6C **8**
Bengarth Rd. PR9 —1D **6**
Bentham St. PR8 —4H **5**
Bentham's Way. PR8 —1H **9**
Beresford Dri. PR9 —6D **2**
Beresford Gdns. PR9 —5D **2**
Berry Clo. WN8 —3D **22**
Berry St. WN8 —3D **22**
Berwick Av. PR8 —5D **8**
Berwyn Ct. PR8 —5B **6**
Beverley Clo. PR9 —2G **3**
Bibby Rd. PR9 —5E **3**
Bickerton Rd. PR8 —5F **5**
Bill's La. L37 —6E **13**
Birch Av. L40 —3E **17**
Birches, The. L37 —2D **12**
Birch Grn. L37 —2C **12**
Birch Grn. Rd. WN8 —2F **23**
Birch St. PR8 —5H **5**
Birch St. WN8 —5C **22**
Bird in the Hand Cotts. L39 —3E **19**
Birkey La. L37 —5E **13**
Birkrig. WN8 —3B **24**
Birleywood. WN8 —3B **24**
Bispham Rd. PR9 —2D **6**
Blackacre La. L40 —1E **19**
Black Moss La. L39 —6D **18**
Blaguegate La. WN8 —4A **22**
Blair Gro. PR9 —2D **6**
Blakehall. WN8 —6H **23**
Blandford Clo. PR8 —4F **5**
Blaydon Pk. WN8 —6H **23**
Bleasdale Clo. L39 —4F **21**
Blenheim Rd. PR8 —5B **8**
Blindman's La. L39 —2C **18**
Blundell Av. L37 —3A **12**
Blundell Av. L38 —4B **14**
Blundell Av. PR8 —1F **9**
Blundell Cres. PR8 —1F **9**
Blundell Dri. PR8 —1F **9**

Blundell Gro. L38 —4B **14**
Blundell La. PR9 —4G **3**
Blundell Rd. L38 —4B **14**
Blythe La. L40 —6D **16**
Blythewood. WN8 —6G **23**
Bodmin Av. PR9 —2F **3**
Bold La. L39 —4D **20**
Bold St. PR9 —1H **5**
Bolton Clo. L37 —5F **13**
Bolton Rd. PR8 —5G **5**
Booth's La. L39 —4A **18**
Booth St. PR9 —1H **5**
Bosworth Dri. PR8 —1D **10**
Botanic Rd. PR9 —6E **3**
Boundary St. PR8 —5H **5**
Bowker's Grn. La. L39 —6F **21**
Bowling Grn. Clo. PR8 —4D **6**
Bowness Av. PR8 —2E **11**
Bracebridge Dri. PR8 —6D **6**
Brackenway. L37 —1F **13**
Brade St. PR9 —3G **3**
Bradley St. PR9 —1A **6**
Bradshaw's La. PR8 —5D **8**
Braemar Av. PR9 —5D **2**
Bramhall Rd. WN8 —3D **22**
Bredon Ct. L37 —3D **12**
Breeze Rd. PR9 —1E **9**
Brentwood Clo. L38 —5B **14**
Brentwood Ct. PR9 —1B **6**
Bretherton Ct. L40 —4F **17**
Bretton Fold. PR8 —4D **6**
Brewery La. L37 —1E **13**
Briar Rd. PR8 —1F **11**
Briars Brook. L40 —4G **17**
Briars Grn. WN8 —1F **23**
Briars La. L40 —4G **17**
Briars, The. PR8 —3F **9**
Briary Croft. L38 —4B **14**
Bridge Av. L39 —4E **19**
Bridge Gro. PR8 —3H **5**
Bridge Hall Dri. WN8 —2F **25**
Bridgend Dri. PR8 —1D **10**
Bridge St. L39 —5E **19**
Bridge St. PR9 —1H **5**
Bridgewills La. PR9 —2G **3**
Brierfield. WN8 —3G **5**
Brighouse Clo. L39 —4D **18**
Brighton Rd. PR8 —6G **5**
Bright St. PR9 —2D **6**
Brinklow Clo. PR8 —6A **8**
Broadlands. PR8 —6E **5**
Broad La. L37 —6D **10**
Broadway Clo. PR8 —6B **8**
Brocklebank Rd. PR9 —6C **2**
Bromilow Rd. WN8 —4A **22**
Brompton Rd. PR8 —2C **6**
Brookfield La. L39 —5C **20**
Brookfield Rd. WN8 —2F **25**
Brookhouse Rd. L39 —3D **18**
Brooklands. L39 —3G **19**
Brooklands Dri. WN5 —4H **25**
Brooklands Gro. L40 —4F **17**
Brooklands Rd. WN8 —2G **25**
Brook La. L39 —5E **19**
Brooks Rd. L37 —5C **12**
Brook St. PR9 —3H **3**
Brooks Way. L37 —5C **12**
Broome Rd. PR8 —6H **5**
Broughton Av. PR8 —5B **6**
Brows Clo. L37 —5D **12**
Brows La. L37 —5D **12**
Bryony Clo. WN5 —4H **25**
Buckfast Dri. L37 —5G **13**
Buckingham Gro. L37 —6D **12**
Bull Cop. L37 —4F **13**
Burlington Av. L37 —4G **13**
Burlington Rd. PR8 —6F **5**
Burnley Av. PR8 —6D **8**
Burnley Rd. PR8 —6C **8**
Burscough Ind. Est. L40 —2B **16**
(in two parts)
Burscough Rd. L39 —3F **19**
Burscough St. L39 —4E **19**
Burwell Av. L37 —6C **12**
Bury Rd. PR8 —6H **5**
Bushbys La. L37 —5B **12**
Bushbys Pk. L37 —5B **12**
Butcher's La. L39 —6B **20**
Butterfield Gdns. L39 —6D **18**
Buttermere Clo. L37 —4C **12**
Butts La. L37 —4F **13**
Butts La. PR8 —4D **6**
Byland Clo. L37 —5G **13**
Byrom St. PR9 —2D **6**

Byron Clo. L37 —3E **13**

C

Cable St. L37 —3F **13**
Cable St. PR9 —2H **5**
Caister Clo. WN8 —5H **23**
Calder Av. L39 —6E **19**
Camberley Clo. PR8 —4E **5**
Cambridge Arc. PR8 —2H **5**
Cambridge Av. PR9 —5D **2**
Cambridge Ct. PR9 —5D **2**
Cambridge Gdns. PR9 —5D **2**
Cambridge Rd. L37 —6B **12**
(in two parts)
Cambridge Rd. PR9 —6C **2**
Cambridge Rd. WN8 —4C **22**
Cambridge Walks. PR8 —2H 5
(off Eastbank St.)
Canning Rd. PR9 —2E **7**
(in two parts)
Canterbury Clo. L37 —1E **13**
Canterbury Clo. PR8 —5F **5**
Cantlow Fold. PR8 —1C **10**
Capilano Pk. L39 —3E **21**
Cardiff St. WN8 —4B **22**
Cardigan Rd. PR8 —2F **9**
Carfield. WN8 —3C **24**
Carisbrooke Dri. PR9 —6D **2**
Carlisle Rd. PR8 —1G **9**
Carlton Av. WN8 —2E **25**
Carlton Rd. PR8 —5C **8**
Carmel Clo. L39 —1F **21**
Carnarvon Rd. PR8 —2F **9**
Carneghie Ct. PR8 —5F **5**
Carr Ho. La. L38 —3G **15**
Carr La. L40 —3G **17**
Carr La. PR8 —4F **9**
Carroll Cres. L39 —2F **19**
Carr's Cres. L37 —6D **12**
Carr's Cres. W. L37 —6C **12**
Cartmel Clo. PR8 —6D **6**
Cartmel Dri. L37 —5G **13**
Castle Dri. L37 —6E **13**
Castlehey. WN8 —3C **24**
Castle St. PR9 —1H **5**
Castle Wlk. PR8 —4F **5**
Catherine's La. L39 —1H **21**
Caton Clo. PR9 —3D **2**
Catterick Fold. PR8 —6D **6**
Catton Grn. L37 —2F **13**
Causeway, The. PR9 —2G **3**
Cavendish Ct. PR9 —6C **2**
Cavendish Rd. PR8 —6F **5**
Cedar Cres. L39 —5D **18**
Cedar Dri. L38 —6B **12**
Cedar Gro. WN8 —4C **22**
Cedar St. PR8 —5A **6**
Cemetery Rd. PR8 —5H **5**
Central Av. PR8 —3F **9**
Chambers Rd. PR8 —4B **6**
Chambers Rd. N. PR8 —3B **6**
Chandley Clo. PR8 —6A **8**
Chapel Ho. Wlk. L37 —4F **13**
Chapel La. L37 —4E **13**
Chapel La. L40 —5E **17**
Chapel M. L39 —5F **19**
Chapel Moss. L39 —5E **19**
Chapel St. L39 —5F **19**
Chapel St. PR8 —2H **5**
Charles Av. PR8 —5E **9**
Charlesbye Av. L39 —3G **19**
Charlesbye Clo. L39 —3H **19**
Charnock. WN8 —3C **24**
Chartwell Rd. PR8 —5B **8**
Chase Clo. PR8 —5F **5**
Chase Heys. PR9 —6D **2**
Chatsworth Rd. PR8 —5B **8**
Cheapside. L37 —5F **13**
Cheltenham Way. PR8 —5D **6**
Chequer Clo. WN8 —4D **24**
Chequer La. WN8 —3D **24**
Cherrycroft. WN8 —3C **24**
Cherry Grn. L39 —2D **20**
Cherry Rd. PR8 —3F **11**
Cherry Tree La. L39 —2D **20**
Chester Av. PR9 —1C **6**
Chesterfield Clo. PR8 —1E **11**
Chesterfield Rd. PR8 —1D **10**
Chester Rd. PR9 —1D **6**
Chestnut Ct. PR8 —1A **6**
Chestnut St. PR8 —4A **6**
Chestnut Way. L37 —6B **12**
Chiltern Rd. PR8 —5A **8**

Chindit Clo. L37 —5C **12**
Chipping Av. PR8 —6A **8**
Chislett Clo. L40 —3D **16**
Christines Cres. L40 —3E **17**
Church Clo. L37 —4F **13**
Church Clo. PR9 —1E **7**
Church Clo. Ct. L37 —4F **13**
Church Dri. WN5 —4H **25**
Church Fields. L39 —4E **19**
Churchfields. PR8 —6F **5**
Churchgate. PR9 —6D **2**
(in two parts)
Churchgate M. PR9 —6E **3**
Church Grn. L37 —5B **12**
Church Hill Rd. L39 —3D **18**
Churchill Av. PR9 —5D **2**
Church La. L39 —4C **20**
Church Path. L37 —2E **13**
Church Rd. WN8 —4D **22**
Church St. L39 —4E **19**
Church St. PR9 —2A **6**
Church St. WN5 —4H **25**
Church St. WN8 —2G **25**
Churchtown Ct. PR8 —5E **3**
Church View. L39 —4C **20**
Church View Ct. L39 —4E 19
(off Burscough St.)
Church Wlk. L39 —4E 19
(off Burscough St.)
Church Way. L37 —5B **12**
Cinnamon Brow. WN8 —3G **25**
Claireville. PR8 —4F **5**
Claremont Av. PR8 —5G **5**
Claremont Dri. L39 —6D **18**
Claremont Rd. PR8 —5G **5**
Clarence Rd. PR8 —5G **5**
Clay Brow Rd. WN8 —3C **24**
Clayton Gdns. L40 —3E **17**
Clayton M. WN8 —4B **22**
Clayton St. WN8 —4B **22**
Clegg St. WN8 —4B **22**
Clenger's Brow. PR9 —5D **2**
Cleveleys Av. PR9 —3E **3**
Cleveleys Rd. PR9 —4E **3**
Cleve Way. L37 —5G **13**
Clieves Hills La. L39 —1A **20**
Clifford Rd. PR8 —1G **9**
Cliff Rd. PR9 —5B **2**
Clifton Rd. L37 —2F **13**
Clifton Rd. PR8 —3D **6**
Clinning Rd. PR8 —1G **9**
Clive Lodge. PR8 —1F **9**
Clive Rd. PR8 —2F **9**
Cloister Grn. L37 —5G **13**
Cloisters, The. L37 —4E **13**
Close, The. L39 —4G **19**
Clovelly Dri. PR8 —3E **9**
Clucas Gdns. L39 —4E **19**
Coastal Rd. PR8 —5A **8**
Cobb's Clough Rd. L40 —1D **22**
Cobden Rd. PR9 —3D **6**
(in two parts)
Cockle Dick's La. PR9 —5C **2**
Colburne Clo. L40 —2F **17**
Colchester Rd. PR8 —6D **6**
Cole Cres. L39 —3E **21**
Colimander Gdns. L39 —6C **18**
College Av. L37 —2D **12**
College Clo. L37 —3C **12**
College Clo. PR8 —6G **5**
College Path. L37 —2C **12**
College Rd. WN8 —1F **25**
Collisdene Rd. WN5 —3H **25**
Compton Rd. PR8 —6H **5**
Concourse Shopping Cen. WN8
—4F **23**
Coniston Rd. L37 —5C **12**
Convent Clo. L39 —1F **21**
Conyers Av. PR8 —6F **5**
Coppice Leys. L37 —4D **12**
Cornwall Way. PR8 —2D **10**
Coronation Av. L37 —5F **13**
Coronation Wlk. PR8 —2G **5**
Corporation St. PR8 —2H **5**
Cottage Clo. L39 —5D **18**
Cottage La. L39 —3D **18**
Cottage M. L39 —4D **18**
Cotton Dri. L39 —3D **18**
Coudray Rd. PR9 —6C **2**
County Rd. L39 —2D **18**
Courtfield. L39 —2D **18**
Court Grn. L39 —2D **18**

Court Rd. PR9 —1A **6**
Coyford Dri. PR9 —3E **3**
Crabtree Clo. L40 —3D **16**
Crabtree La. L40 —2C **16**
Crawford Rd. WN8 —6B **24**
Crediton Av. PR9 —2F **3**
Crescent Av. L37 —6D **12**
Crescent Grn. L38 —5G **15**
Crescent Rd. PR8 —6F **5**
Crescent, The. PR9 —4G **3**
Cricket Path. L37 —2E **13**
Cricket Path. PR8 —6F **5**
Crockleford Av. PR8 —6C **6**
Croft Av. L40 —4F **17**
Croft Av. WN5 —4H **25**
Croft Heys. L39 —2D **20**
Croftson Av. L39 —3F **19**
Croft, The. WN5 —5H **25**
Cromer Rd. PR8 —1E **9**
Cromfield. L39 —1E **21**
Cromwell Clo. L39 —1E **21**
Cropper's La. L39 —2H **21**
Cropton Rd. L37 —4E **13**
Crosby Rd. PR8 —6F **5**
Cross Barn La. L38 —5G **15**
Crossens Way. PR9 —1G **3**
Cross Grn. L37 —5F **13**
Cross Grn. Clo. L37 —5F **13**
Crosshall Brow. L39 & L40 —4H **19**
Cross La. WN5 —6H **25**
Cross St. PR8 —3H **5**
Croston's Brow. PR9 —4D **2**
Crowland Clo. PR9 —3E **7**
Crowland St. PR9 —3E **7**
(in two parts)
Crowland Way. L37 —5G **13**
Crown La. L37 —5F **13**
Croyde Clo. PR9 —2F **3**
Cumberland Rd. PR8 —4B **6**
Cummins Av. L37 —2D **12**
Curzon Rd. PR8 —4B **6**
Cut La. L39 —1A **18**
Cygnet Clo. L39 —1E **21**
Cypress Rd. PR8 —3C **6**

D

Dailton Rd. WN8 —2E **25**
Daisy La. L40 —3H **17**
Daisy Wlk. PR8 —2C 6
(off Beacham Rd.)
Dales Wlk. L37 —1F **13**
Danbers. WN8 —3D **24**
Daneway. PR8 —5B **8**
Daniels La. WN8 —6G **23**
Daresbury Av. PR8 —6A **8**
Dark La. L40 —3H **19**
Davenham Rd. L37 —3E **13**
Dawlish Dri. PR9 —2E **3**
Dawson Av. PR9 —2G **3**
Dawson Rd. L39 —2F **19**
Dayfield. WN8 —2F **25**
Dean Clo. WN8 —2G **25**
Deans Ct. L37 —2E **13**
Deansgate La. L37 —2G **13**
Deansgate La. N. L37 —1F **13**
Deardon Ct. WN8 —2E **25**
Delamere Rd. PR8 —6B **8**
Delamere Rd. WN8 —3D **22**
Delamere Way. WN8 —2E **25**
Delf Ho. WN8 —4G **23**
Dell, The. WN8 —2F **25**
Delph Clo. L39 —2E **21**
Delph Comn. Rd. L39 —2D **20**
Delph La. L37 —4B **12**
Delph La. L39 —2E **21**
Delph Pk. Av. L39 —2D **20**
Delph Rd. L23 —6F **15**
Delphside Clo. WN5 —4H **25**
Delphside Rd. WN5 —4H **25**
Delph Top. L39 —3G **19**
Denbigh Av. PR9 —4D **2**
Denmark Rd. PR9 —5E **3**
Derby Ct. L37 —2D **12**
Derby Hill Cres. L39 —4G **19**
Derby Hill Rd. L39 —4G **19**
Derby Rd. L37 —2D **12**
Derby Rd. PR9 —2A **6**
Derby Rd. WN8 —5A **22**
Derby St. L39 —4F **19**
Derby St. W. L39 —4E **19**
Derwent Av. L37 —5C **12**
Derwent Av. PR9 —6D **2**
Devon Farm Way. L37 —4G **13**

A-Z Southport 27

Devonshire Rd. PR9 —1E **7**
Dicconson Way. L39 —5G **19**
Dickinson Clo. L37 —5F **13**
Dickinson Rd. L37 —5E **13**
Digmoor Dri. WN8 —6F **23**
Digmoor Rd. WN8 —6G **23**
Dingle Av. WN8 —1G **25**
Dingle Clo. L39 —2E **21**
Dingle Dri. WN8 —2F **25**
Dinorwic Rd. PR8 —6G **5**
Ditchfield. L37 —5F **13**
Dobbs Dri. L37 —3F **13**
Dodworth Av. PR8 —4C **6**
Dolly's La. PR9 —1H **7**
Dorchester Rd. WN8 —2E **25**
Doric Grn. WN5 —6H **25**
Dorset Av. PR8 —3E **11**
Douglas Av. WN8 —2F **25**
Douglas Dri. L39 —2D **18**
Douglas Rd. PR9 —3G **3**
Dover Rd. PR8 —2E **9**
Downholland Moss La. L37 —3G **13**
Drake Clo. L39 —1E **21**
Drewitt Cres. PR9 —3H **3**
Duke Av. PR8 —5A **6**
Duke St. L37 —5D **12**
Duke St. PR8 —3G **5**
(in two parts)
Dukes Way. L37 —5E **13**
Duke's Wood La. WN8 —6B **24**
Dunbar Cres. PR9 —5A **2**
Dunbar Rd. PR8 —1E **9**
(in two parts)
Dunes Dri. L37 —3B **12**
Dunkirk Rd. PR8 —1F **9**
Dunlop Av. PR8 —3E **11**
Dunster Rd. PR8 —3E **9**
Durham St. WN8 —3B **22**
Dyers La. L39 —5E **19**

Eamont Av. PR9 —2F **3**
Earlswood. WN8 —4H **23**
Easby Clo. L37 —5F **13**
Easedale Dri. PR8 —1D **10**
Eastbank Ho. PR8 —3H **5**
Eastbank St. PR8 —2H **5**
Eastbank St. Sq. PR8 —2H **5**
Eastbourne Rd. PR8 —6G **5**
Eastleigh. WN8 —4H **23**
East Mead. L39 —1D **20**
East St. PR9 —2B **6**
Eccles Rd. L37 —6C **12**
Eden Av. PR9 —4D **2**
Eden Clo. L37 —5B **12**
Edenfield Clo. PR8 —6C **6**
Edenhurst Dri. L37 —4B **12**
Edge Hall La. WN5 —5H **25**
Edgley Dri. L39 —4G **19**
Egerton. WN8 —5H **23**
Eight Acre La. L37 —1F **13**
(in two parts)
Elbow La. L37 —4E **13**
Eldons Croft. PR8 —6D **8**
Elizabeth Av. PR8 —5E **9**
Ellerbrook Dri. L40 —4F **17**
Ellerbrook Way. L39 —3E **19**
Elmcroft La. L38 —4C **14**
Elmdale Clo. L37 —5C **12**
Elm Dri. L37 —6C **12**
Elmer's Grn. La. WN8 —1G **23**
(in two parts)
Elmers Wood Rd. WN8 —4H **23**
Elm Gro. WN8 —4C **22**
Elm Pl. L39 —5E **19**
Elmridge. WN8 —5H **23**
Elm Rd. L40 —4E **17**
Elm Rd. PR8 —5H **5**
Elmsfield Pk. L39 —5C **20**
Elmstead. WN8 —5H **23**
Elms, The. PR8 —4A **6**
Elmwood. WN8 —2G **23**
Elson Rd. L37 —6C **12**
Elswick. WN8 —5G **23**
Elswick Grn. PR9 —2E **3**
Elswick Rd. PR9 —3D **2**
Elsworth Clo. L37 —6B **12**
Elvington Rd. L38 —5C **14**
Emerson Clo. L38 —3C **14**
Emmanuel Rd. PR9 —5D **2**
Ennerdale. WN8 —5H **23**
Ennerdale Clo. L37 —4C **12**

Ennerdale Dri. L39 —1D **20**
Ennerdale Rd. L37 —4C **12**
Enstone. WN8 —4H **23**
Eskbank. WN8 —5G **23**
Eskbrook. WN8 —4G **23**
Eskdale. WN8 —5F **23**
Eskdale Av. L39 —1D **20**
Eskdale Clo. L37 —5C **12**
Eskdale Dri. L37 —5C **12**
Esplanade. PR8 —3E **5**
Essex Rd. PR8 —3G **9**
Eton Ct. PR9 —6A **2**
Ettington Rd. PR8 —6A **8**
Evenwood. WN8 —4H **23**
Evenwood Ct. WN8 —4G **23**
Everard Rd. PR8 —5B **6**
Eversley. WN8 —4H **23**
Everton Rd. PR8 —6G **5**
Evington. WN8 —4H **23**
Exmoor Clo. PR9 —1F **3**

Fairburn. WN8 —2F **23**
Fairfield Clo. L39 —2E **19**
Fairfield Dri. L39 —2E **19**
Fairfield Rd. PR8 —6C **8**
Fairhaven. WN8 —2G **23**
Fairhaven Rd. PR9 —3F **3**
Fairlie. WN8 —2G **23**
Fairstead. WN8 —2G **23**
Fairway. PR9 —5A **2**
Falkland. WN8 —2G **23**
Falkland Rd. PR8 —5B **6**
Farm Clo. PR9 —1E **7**
Farnborough Rd. PR8 —3F **9**
Farrington Dri. L39 —3E **19**
Faulkner Clo. PR8 —5C **8**
Faulkner Gdns. PR8 —5C **8**
Fawcett. WN8 —2F **23**
Fell View. PR9 —1H **3**
Felstead. WN8 —3G **23**
Feltons. WN8 —3F **23**
Fenny Ct. WN8 —4G **23**
Fern Clo. WN8 —4C **22**
Ferndale. WN8 —3F **23**
Fernhurst Ga. L39 —1D **20**
Fernley Rd. PR8 —4G **5**
Ferry Side La. PR9 —2G **3**
Field St. WN8 —3B **22**
Field Wlk. L39 —4G **19**
Findon. WN8 —3G **23**
Fine Jane's Way. PR9 —1F **7**
Firbeck. WN8 —4F **23**
Firs Clo. L37 —2C **12**
Firs Cres. L37 —2C **12**
Firs Link. L37 —3C **12**
Firswood Rd. WN8 —3A **22**
Fir Tree Clo. WN8 —6H **23**
Fir Tree La. L39 —6A **18**
Firwood. WN8 —2H **23**
Fisher Dri. PR9 —2D **6**
Fishermans Clo. L37 —1D **12**
Fishermans Path. L37 —6A **10**
Flamstead. WN8 —4G **23**
Flaxfield Rd. L37 —4F **13**
Flax La. L40 —4F **17**
Flaxton. WN8 —4G **23**
Fleetwood Clo. PR9 —4D **2**
Fleetwood Rd. PR9 —6B **2**
(in two parts)
Fletchers Dri. L40 —3E **17**
Flimby. WN8 —4H **23**
Flordon. WN8 —4H **23**
Folkestone Rd. PR8 —6C **6**
Fordham Clo. PR8 —6C **6**
Forest Dri. WN8 —2G **23**
Forest Rd. PR8 —3B **6**
Formby Bri. L37 —5C **12**
Formby By-Pass. L37 —1G **13**
Formby Fields. L37 —5F **13**
Formby La. L37 —5G **13**
Formby La. L39 —1A **20**
Formby M. L37 —3E **13**
Formby Point Caravan Pk. L37
—6A **12**
Formby St. L37 —5D **12**
Foster Rd. L37 —5C **12**
Fosters Clo. PR9 —1F **7**
Fosters Grn. Rd. WN8 —2H **23**
Foul La. PR9 —4E **7**
Fountains Way. L37 —5G **13**
Foxdale Clo. PR8 —6C **6**
Foxfold. WN8 —2H **23**

Foxhill Clo. L37 —4B **12**
Frairley Clo. PR8 —1E **11**
Freckleton Rd. PR9 —3D **2**
Freshfield Ct. L37 —3D **12**
Freshfield Rd. L37 —2D **12**
Friars Wlk. L37 —5G **13**
Fulwood Av. PR8 —5B **6**
Funchal Av. L37 —6C **12**
Furness Av. L37 —4E **13**
Furness Av. L39 —5F **19**
Furness Clo. PR8 —2D **10**
Furnival Dri. L40 —3D **16**
Fylde Rd. PR9 —3D **2**
Fylde Rd. Ind. Est. PR9 —3E **3**

Gainsborough Rd. PR8 —6E **5**
Gantley Av. WN5 —6H **25**
Gantley Cres. WN5 —6H **25**
Gantley Rd. WN5 —5H **25**
Ganton Clo. PR8 —6C **6**
Garden Cotts. L37 —4D **18**
Gardiners Pl. WN8 —5C **22**
Gardner Rd. L37 —4F **13**
Garnett Grn. L39 —5D **18**
Garnett Pl. WN8 —6E **23**
Garrick Pde. PR8 —2G **5**
Garstang Rd. PR9 —3D **2**
Garve Rd. La. L39 —4H **21**
Gategill Gro. WN5 —6H **25**
Gaw Hill La. L39 —6A **18**
George Dri. PR8 —6E **9**
George's Ter. WN5 —4H **25**
Germans La. L40 —1H **17**
Gerrard Pl. WN8 —6D **22**
Gilbert Pl. L40 —3B **16**
Gillibrands Rd. WN8 —5D **22**
(in two parts)
Gladden Pl. WN8 —5C **22**
Gladstone Rd. PR9 —3D **6**
Glaisdale Dri. PR8 —6D **6**
Glamis Dri. PR9 —4F **3**
Glebe Pl. PR9 —2H **5**
Glebe Rd. WN8 —5E **23**
Glenburn Rd. WN8 —1D **22**
Glencoyne Dri. PR9 —1F **3**
Glendale Way. L37 —5E **13**
Gleneagles Dri. WN8 —1D **22**
Glenmarsh Way. L37 —4G **13**
Glenpark Dri. PR9 —3F **3**
Glenrose Ter. PR8 —4G **5**
Glenroyd Dri. L40 —3E **17**
Gloucester Rd. PR8 —4F **5**
Golf Rd. L37 —2C **12**
(in two parts)
Gordon Av. PR9 —6A **2**
Gordon M. PR9 —6A **2**
Gordon St. PR9 —1H **5**
Gore Dri. L39 —6E **19**
Gores La. L37 —2D **12**
Gorsefield. L37 —1F **13**
Gorse Way. L37 —3B **12**
Gorsey La. L38 —4H **15**
Gorsey Pl. WN8 —6E **23**
Gorst La. L40 —1A **16**
Gosforth Rd. PR9 —1D **6**
Gower Gdns. L40 —4F **17**
Graburn Rd. L37 —3E **13**
Grafton Dri. PR8 —6A **8**
Granby Clo. PR9 —4D **2**
Grange Av. PR9 —1C **6**
Grange La. L37 —2D **12**
Grange Rd. L38 —1A **14**
Grange Rd. PR9 —2C **6**
Grantham Clo. PR8 —2G **9**
Grantham Rd. PR8 —2G **9**
Granton Clo. L37 —4D **12**
Granville Clo. L39 —3D **20**
Granville Ct. PR9 —6B **2**
Granville Pk. L39 —3D **20**
Granville Pk. W. L39 —3D **20**
Granville Rd. PR8 —6D **4**
Grasmere Av. WN8 —2F **25**
Grasmere Rd. L37 —4C **12**
Gratton Pl. WN8 —5C **23**
Grave-Yard La. L39 —4H **21**
Greenbank Av. WN5 —6H **25**
Greenbank Rd. PR8 —1E **9**
Greenfield Clo. PR9 —4E **3**
Greenford Clo. WN5 —3H **25**
Greenford Rd. PR8 —1E **11**
*Greenhaven. WN8 —2F **25***
(off Hall Grn.)

Greenhey Pl. WN8 —5D **22**
Green La. L37 —2E **13**
Green La. L39 —3E **19**
Green La. WN5 —6H **25**
Greenlea Clo. WN5 —4H **25**
Greenloons Dri. L37 —4B **12**
Greenloons Wlk. L37 —5B **12**
Greenslate Ct. WN5 —6H **25**
(in two parts)
Greenslate Rd. WN5 —6H **25**
Green Wlk. PR8 —6D **8**
Greenway Av. WN8 —6F **23**
Greenway Clo. WN8 —3C **22**
Greenways. WN5 —6H **25**
Greenwood Clo. L39 —2E **21**
Greenwood Gdns. PR8 —4G **5**
Greetby Hill. L39 —4G **19**
Greetby Pl. WN8 —5E **23**
Gregsons Av. L37 —2D **13**
Greyfriars Rd. PR8 —5B **8**
Greystokes. L39 —1F **21**
Griffiths Dri. PR9 —1D **6**
Grimrod Pl. WN8 —6E **23**
Grimshaw La. L39 —3E **19**
Grimshaw Rd. WN8 —5E **23**
Grinstead Clo. PR8 —4D **7**
Grisedale Clo. L37 —4D **12**
Grosvenor Clo. PR8 —6E **5**
Grosvenor Gdns. PR8 —6F **5**
Grosvenor Pl. PR8 —6F **5**
Grosvenor Rd. PR8 —5D **4**
Grove Pk. L39 —2F **19**
Grove Pk. PR9 —1D **6**
Grove Rd. WN8 —1G **25**
Grove St. PR8 —5G **5**
Grove Ter. PR8 —4G **5**
Grove, The. L39 —4E **21**
Grovewood. PR8 —4E **5**
Grundy Clo. PR8 —4C **6**
Grundy Homes. PR8 —4C **6**
Guildford Rd. PR8 —3G **9**

Hadstock Av. L37 —6C **12**
Haig Av. PR8 —4C **6**
(in three parts)
Haigh Ct. PR8 —3D **6**
Halifax Rd. PR8 —6C **8**
Hallbridge Gdns. WN8 —1F **25**
Hall Brow Clo. L39 —5H **19**
Hallcroft. WN8 —3G **23**
Hall Grn. WN8 —2F **25**
Hall Grn. Clo. WN8 —2F **25**
Hall La. L38 —3H **15**
Hall La. L40 —6G **17**
Hallmoor Clo. L39 —1G **21**
Hall St. PR9 —2A **6**
Halsall Ct. L39 —3D **18**
Halsall La. L37 —4E **13**
Halsall La. L39 —3D **18**
Halsall Rd. PR8 —3F **9**
Hampton Rd. L37 —6D **12**
Hampton Rd. PR8 —5H **5**
Handsworth Wlk. PR8 —6D **6**
Hants La. L39 —3E **19**
Harbury Av. PR8 —1C **10**
Hardacre St. L39 —3F **19**
Harding Rd. L40 —3D **16**
Harebell Clo. L37 —6E **13**
Harewood Av. PR8 —5C **8**
Hargreaves St. PR8 —3A **6**
Harington Clo. L37 —4C **12**
Harington Grn. L37 —4B **12**
Harington Rd. L37 —2B **12**
Harridge La. L40 —1A **18**
Harrod Dri. PR8 —6E **5**
Harrogate Way. PR9 —1G **3**
Harsnips. WN8 —3G **23**
Hartland. WN8 —3G **23**
Hartland Av. PR9 —2F **3**
Hartley Cres. PR8 —1F **9**
Hartley Rd. PR8 —1F **9**
Hartshead. WN8 —3G **23**
Hart St. PR8 —3B **6**
Hartwood Rd. PR9 —2B **6**
Harvington Dri. PR8 —6B **8**
Haslam Dri. L39 —2D **18**
Hastings Rd. PR8 —2B **6**
Hatfield Clo. PR8 —5C **8**
Haven Brow. L39 —3E **21**
Hawesside St. PR9 —2A **6**
Hawksclough. WN8 —3H **23**

Hawkshead St. PR9 & PR8 —1A **6**
Hawksworth Clo. L37 —1F **13**
Hawksworth Dri. L37 —1F **13**
Hawthorn Cres. WN8 —4C **22**
Hawthorne Cres. L37 —5F **13**
Hawthorne Gro. PR9 —2D **6**
Hayfield Rd. L39 —2E **19**
Hazelbank Gdns. L37 —2D **12**
Hazel Gro. PR8 —2C **6**
Hazelhurst Clo. L37 —5B **12**
Hazel La. WN8 —1F **23**
Hazelwood Av. L40 —3F **17**
Headbolt La. PR8 —5G **9**
Heanor Dri. PR8 —6D **6**
Heather Clo. L37 —2G **13**
Heather Clo. L38 —3E **17**
Heather Clo. PR8 —3F **11**
Heatherlea Clo. WN8 —2G **25**
Heatherways. L37 —1F **13**
  (in two parts)
Heathfield Clo. L37 —1F **13**
Heathfield Rd. PR8 —5E **9**
Heathgate. WN8 —3G **23**
Heaton Clo. L40 —3D **16**
Heaton Clo. WN8 —2E **25**
Helmsdale. WN8 —3G **23**
Helston Clo. PR9 —2F **3**
Henley Dri. PR9 —6D **2**
Hereford Rd. PR9 —2D **6**
Hesketh Dri. PR9 —6D **2**
Hesketh Links Ct. PR9 —5C **2**
Hesketh Rd. L40 —3D **16**
Hesketh Rd. PR9 —4B **2**
Hesketh View. PR9 —6C **2**
Heskin La. L39 —1D **18**
Hester Clo. L38 —3B **14**
Heversham. WN8 —3G **23**
Heydon Clo. L37 —6C **12**
Heyes Rd. WN5 —3H **25**
Heysham Rd. PR9 —2D **6**
Heywood Clo. L37 —4D **12**
Higgins La. L40 —2B **16**
Higher La. WN8 —1G **23**
  (Dalton)
Higher La. WN8 —2G **25**
  (Up Holland)
Highfield Rd. L39 —2E **19**
Highfield Rd. PR9 —4F **3**
Highgate Rd. WN8 —2F **25**
High La. L40 —2G **19**
High Moss. L39 —6D **18**
High Pk. Pl. PR9 —1E **7**
High Pk. Rd. PR9 —1E **7**
High St. Pennylands, WN8 —5B **22**
Hilbre Clo. PR9 —6D **2**
Hilbre Dri. PR9 —6D **2**
Hillcrest. WN8 —6F **23**
Hillcrest Rd. L39 —3E **19**
Hill St. PR9 —1H **5**
Hillside Av. L39 —5D **18**
Hillside Rd. PR8 —2E **9**
Hilltop Wlk. L39 —6C **18**
Hobcross La. L40 —6G **17**
Hodge St. PR8 —2H **5**
Hodson St. PR8 —3A **6**
Hoggs Hill La. L37 —6D **12**
Hoghton Gro. PR9 —1A **6**
Hoghton Pl. PR9 —2H **5**
Hoghton St. PR9 —2H **5**
Holborn Dri. L39 —6C **18**
Holborn Hill. L39 —6C **18**
Holgate Dri. WN5 —4H **25**
Hollybrook Rd. PR8 —4G **5**
Holly Clo. WN8 —4C **22**
Holly La. L39 —5B **18**
Holmdale Av. PR9 —3F **3**
Holmwood Clo. L37 —4C **12**
Holmwood Dri. L37 —3C **12**
Holmwood Gdns. L37 —3C **12**
Holt Coppice. L39 —4C **20**
Holt St. WN5 —4H **25**
Homechase Ho. PR8 —5F **5**
Homesands Ho. PR9 —1B **6**
Hope Sq. PR9 —2A **6**
Hope St. PR9 —2A **6**
Hornby Rd. PR9 —2E **3**
Houghton's La. WN8 —4G **23**
  (in two parts)
Houghtons Rd. WN8 —2E **23**
Howard Ct. PR9 —6B **2**

Hulme St. PR8 —2G **5**
Hurlston Dri. L39 —2E **19**
Hutton Clo. PR8 —4B **22**
Hutton Rd. WN8 —4B **22**
Hutton Way. L37 —4E **19**
Hythe Clo. PR8 —6C **6**

Ilkley Av. PR9 —1G **3**
Ince Cres. L37 —4C **12**
Ince La. L23 —6H **15**
Inchfield. WN8 —3F **23**
Ingleton Rd. PR8 —6C **6**
Inglewhite. WN8 —3E **23**
Ingram. WN8 —3F **23**
Inscip Ct. WN8 —3F **23**
Inskip. WN8 —3E **23**
Inskip Rd. PR8 —3E **3**
Irton Rd. PR9 —1C **6**
Irvin Av. PR9 —2G **3**
Irving St. PR9 —6A **2**
Irwell. WN8 —2E **23**
Ivybridge. WN8 —3F **23**
Ivydale. WN8 —3F **23**
Ivy St. PR8 —3B **6**

Jackson's Comn. La. L40 —1B **18**
Jane's Brook Rd. PR8 —5B **6**
Johnson St. PR9 —1H **5**
Jubilee Av. L37 —3F **19**
Jubilee Av. WN5 —5H **25**
Jubilee Ct. PR9 —1E **7**
Jubilee Dri. WN8 —5C **22**
Jubilee Ho. L37 —5H **13**
Jubilee Rd. L37 —6C **12**
Junction La. L40 —3E **17**

Kempton Pk. Fold. PR8 —6D **6**
Kendal Way. PR8 —2D **10**
Kenilworth Rd. L37 —6D **12**
Kensington Rd. L37 —6D **12**
Kensington Rd. PR9 —2A **6**
Kent Av. L37 —6F **13**
Kenton Clo. L37 —1E **13**
Kent Rd. L37 —6E **13**
Kent Rd. PR8 —5G **5**
Kenworthys Flats. PR9 —1H **5**
Kenyons La. L37 —4F **13**
Kerslake Way. L38 —3B **14**
Kerton Row. PR8 —5F **5**
Kestrel Ct. PR9 —2B **6**
Kestrel M. WN8 —1G **23**
Kestrel Pk. WN8 —1G **23**
Keswick Clo. PR8 —2E **11**
Kettering Rd. PR8 —6B **8**
Kew Rd. L37 —6C **12**
Kew Rd. PR8 —6G **5**
Kilburn Rd. WN5 —4G **25**
Killingbeck Clo. L40 —3D **16**
Kiln La. WN8 —3C **22**
Kingfisher Clo. PR8 —1B **6**
Kingfisher Pk. WN8 —1G **23**
Kingsbury Clo. PR8 —1D **10**
Kingsbury Ct. WN8 —1G **23**
Kings Clo. L37 —5D **12**
Kings Hey Dri. PR9 —6D **2**
Kings Rd. L37 —5D **12**
Kingston Cres. PR9 —2G **3**
King St. PR8 —3G **5**
Kingsway. PR8 —2G **5**
Kinloch Way. L39 —4D **18**
Kirkdale Gdns. WN8 —2E **25**
Kirkham Rd. PR9 —3E **3**
Kirklake Bank. L37 —5B **12**
Kirklake Rd. L37 —5B **12**
Kirklees Rd. PR8 —2F **9**
Kirkstall Dri. L37 —5G **13**
Kirkstall Rd. PR8 —1F **9**
Knob Hall La. PR9 —4D **2**
Knowle Av. PR8 —5C **8**
Knowsley Rd. PR9 —6A **2**

Laburnum Dri. WN8 —4B **22**
Laburnum Gro. L40 —1F **17**
Laburnum Gro. PR8 —2D **6**
Lady Grn. Ct. L38 —4G **15**
Lady Grn. La. L38 —3F **15**
Lady's Wlk. L40 —4H **19**
Lafford La. WN8 —1G **25**
Lakeside Av. WN5 —6H **25**

Lambourne. WN8 —1F **23**
Lancaster Clo. PR8 —5E **5**
Lancaster Cres. WN8 —4C **22**
Lancaster Gdns. PR8 —5E **5**
Lancaster Rd. L40 —2B **16**
Lancaster Rd. PR8 —6D **4**
Land La. PR9 —3H **3**
Langdale Av. L37 —5C **12**
Langdale Clo. L37 —5C **12**
Langdale Dri. L40 —3E **17**
Langdale Gdns. PR8 —2F **9**
Langley Brook Rd. L40 —3B **16**
Langley Clo. L38 —5B **14**
Langley Ct. L40 —2B **16**
Langley Pl. L40 —3B **16**
Langley Rd. L40 —2B **16**
Langtree. WN8 —2F **23**
Lansdowne Rd. PR8 —3C **6**
Larch Clo. WN8 —4C **22**
Larch St. PR8 —4C **6**
Larch Way. L37 —3C **12**
Larkfield Clo. PR8 —4E **3**
Larkfield La. PR9 —4E **3**
Larkhill. WN8 —1F **23**
Larkhill Gro. L38 —4B **14**
Larkhill La. L37 —3B **12**
Latham Av. L39 —4G **19**
Lathom Clo. L40 —3E **17**
Lathom Ho. L40 —3E **17**
Lathom Rd. PR9 —6A **2**
Laurel Av. L40 —1E **17**
Laurel Dri. WN8 —3C **22**
Laurel Gro. PR8 —2C **6**
Lawns Av. WN5 —4G **25**
Lawns, The. PR9 —5D **2**
Lawson St. PR9 —2E **7**
Lawton St. PR9 —1A **6**
Lea Cres. L39 —2E **19**
Leamington Av. PR8 —6D **8**
Leamington Rd. PR8 —6C **8**
Ledburn. WN8 —2F **23**
Ledson Gro. L39 —4D **20**
Leeswood. WN8 —2F **23**
Leicester St. PR9 —6A **2**
Lendel Clo. L37 —4D **12**
Lenton Av. L37 —3C **12**
Lesley Rd. PR8 —2C **6**
Lethbridge Rd. PR8 —4B **6**
Lexton Dri. PR9 —4F **3**
Leybourne Av. PR8 —4F **9**
Leyland Rd. PR9 —6A **2**
Leyland Way. L37 —4E **19**
Lifeboat Rd. L37 —6A **12**
Lighthorne Dri. PR8 —1C **10**
Lilac Av. PR8 —3F **11**
Lilac Gro. WN8 —4C **22**
Lime Ct. WN8 —4C **22**
Lime Gro. WN8 —4B **22**
Lime St. PR8 —3C **6**
Lime Tree Way. L37 —5B **12**
Limont Rd. PR8 —6D **8**
Linaker St. PR8 —4H **5**
Lincoln Rd. PR8 —2G **9**
Lindens. WN8 —1F **23**
Lindholme. WN8 —2G **23**
Lindley Av. WN5 —4G **25**
Lingdales. L37 —1E **13**
Links Av. PR9 —5C **2**
Lit. Brewery La. L37 —1E **13**
Lit. Hey La. L37 —3G **13**
Little La. PR9 —5F **3**
Liverpool Av. PR8 —6D **8**
Liverpool Rd. L31 —6A **20**
Liverpool Rd. L37 —5F **13**
Liverpool Rd. L39 —1D **20**
  (Aughton)
Liverpool Rd. L39 —6H **21**
  (Bickerstaffe)
Liverpool Rd. PR8 —3E **11**
Liverpool Rd. WN8 —5A **22**
Liverpool Rd. N. L40 —3E **17**
Liverpool Rd. S. L40 —6C **16**
Lodge Rd. WN5 —5H **25**
London Sq. PR9 —2H **5**
London St. PR9 —2H **5**
Longacre. PR9 —4D **2**
Longcliffe Dri. PR8 —1D **10**
Longfield. L37 —2G **13**
Longford Rd. PR8 —1E **9**
Longhey. WN8 —1G **23**
Long La. L37 —3D **12**
Long La. L39 —6C **18**
Long La. WN8 —6C **24**

Longton Dri. L37 —1F **13**
Lonsdale Av. L39 —2F **19**
Lonsdale Rd. L37 —4D **12**
Lonsdale Rd. PR8 —5B **6**
Lord Sefton Way. L37 —5H **13**
Lord St. L40 —2E **17**
Lord St. PR8 & PR9 —3G **5**
  (in two parts)
Lord St. W. PR8 —3G **5**
Loves Cotts. L39 —3D **18**
Lowcroft. WN8 —2G **23**
Lwr. Alt Rd. L38 —3B **14**
Lwr. Promenade. PR8 —2G **5**
Lwr. Promenade. PR9 —1H **5**
Lowes Grn. L37 —4G **13**
Lowry Hill La. L40 —5H **17**
Loxley Rd. PR8 —5B **6**
Ludlow. WN8 —1G **23**
Ludlow Dri. L39 —2D **18**
Lulworth. WN8 —1G **23**
Lulworth Rd. PR8 —4F **5**
Lulworth View. PR8 —5E **5**
Lunt's La. L37 —6F **13**
Lyndale. WN8 —1F **23**
Lyndhurst. WN8 —1F **23**
Lyndhurst Rd. PR8 —1G **9**
Lynton Dri. PR8 —2E **9**
Lynton Rd. PR8 —3E **9**
Lynwood Av. L39 —6C **18**
Lynwood Clo. WN8 —6H **23**
Lynwood End. L39 —6C **18**
Lyons Rd. PR8 —4G **5**
Lytham Rd. PR9 —3E **3**
  (in two parts)
Lytles Clo. L37 —5F **13**

Malham Clo. PR8 —6C **6**
Mallard Clo. L39 —1E **21**
Mallee Av. PR9 —4E **3**
Mallee Cres. PR9 —4E **3**
Mall, The. L39 —4F **19**
Maltkiln La. L39 —3G **21**
Malvern Ct. PR8 —3G **5**
Malvern Gdns. PR8 —3G **5**
Manchester Rd. PR9 —1A **6**
Mandeville Rd. PR8 —6B **8**
  (in two parts)
Manfield. WN8 —2E **23**
Manning Rd. PR8 —3C **6**
Manor Av. L40 —5D **16**
Manor Cres. L40 —5D **16**
Manor Dri. L40 —5D **16**
Manor Gdns. L40 —5D **16**
Manor Gro. WN8 —4D **22**
Manor Rd. L40 —5D **16**
Manor Rd. PR9 —5E **3**
Manx Jane's La. PR9 —3E **3**
Maple Av. L40 —3E **17**
Maple Clo. L37 —6B **12**
Maple St. PR8 —3C **6**
Maplewood. WN8 —1E **23**
Marble Pl. Shopping Cen. PR8 —2H **5**
Marchbank Rd. WN8 —4B **22**
Mardale Clo. PR8 —1D **10**
Marians Dri. L39 —1E **19**
Marina Rd. L37 —6E **13**
Marine Dri. PR8 —1F **5**
Marine Pde. PR8 —1G **5**
Maritime Ct. PR8 —1H **5**
Market St. PR8 —2G **5**
Market Way. L39 —4E **19**
Markham Dri. PR8 —6C **6**
Mark Rd. L38 —3B **14**
Marland. WN8 —1E **23**
Marlborough. WN8 —1E **23**
Marlborough Ct. WN8 —1F **23**
Marlborough Gdns. PR9 —1A **6**
Marlborough Rd. PR9 —2A **6**
Marlborough Ter. PR9 —2A **6**
  (off Marlborough Rd.)
Marl Gro. WN5 —5H **25**
Marsden Rd. PR9 —2C **6**
Marshallsay. L37 —5F **13**
Marsh Brows. L37 —5D **12**
Marsh La. L38 —2A **14**
Marsh La. L40 —1D **18**
Marsh Moss La. L40 —1B **16**
Marshside Rd. PR9 —2C **2**
Marston Cres. L38 —5C **14**

Martin La. L40 —3A **16**
Martins La. WN8 —6H **23**
Mart La. L40 —2E **17**
Mary Av. PR8 —5E **9**
Massam's La. L37 —1D **12**
Matlock Av. PR8 —5H **5**
Matlock Clo. PR8 —5H **5**
Matlock Cres. PR8 —5H **5**
Matlock Rd. PR8 —6H **5**
Mawdsley Clo. L37 —4G **13**
Mawdsley Ter. L39 —1F **19**
Maybank Clo. PR9 —6E **3**
Mayfair Clo. L38 —5C **14**
Mayfield Av. L37 —6B **12**
Mayfield Rd. WN8 —2F **25**
Maytree Wlk. WN8 —1F **23**
Meadow Av. PR8 —5A **6**
Meadow Bank. L39 —5F **19**
Meadow Brow. PR9 —2H **3**
Meadow Clo. WN8 —6H **23**
Meadow Clough. WN8 —1F **23**
Meadowcroft. L37 —5E **13**
Meadowcroft. WN8 —1F **23**
Meadow Dri. L39 —1E **21**
Meadow La. L40 —4H **17**
Meadow La. PR8 —2E **11**
Meadow View. PR8 —5B **6**
Melbreck. WN8 —1E **23**
Meldreth Clo. L38 —3B **14**
Melford Dri. WN5 —6H **25**
Melling Rd. PR9 —1C **6**
Melrose Av. PR9 —2F **3**
Menivale Clo. PR9 —1F **3**
Meols Clo. L37 —5D **12**
Meols Cop Cen., The. PR8 —5D **6**
Meols Cop Rd. PR8 —4D **6**
Mere Av. L40 —1E **17**
Mere Clo. WN8 —3D **22**
Mere Ct. L40 —1E **17**
Merepark Dri. PR9 —3F **3**
(in two parts)
Mere Rd. L37 —5C **12**
Merewood. WN8 —1E **23**
Meriden Clo. PR8 —1D **10**
Merlewood Av. PR9 —4F **3**
Mersey Av. L37 —1D **12**
Michaels Clo. L37 —4D **12**
Mickering La. L39 —5D **20**
Mickleton Dri. PR8 —6A **8**
Middlewood. WN8 —1E **23**
Middlewood Clo. L39 —4E **21**
Middlewood Dri. L39 —4E **21**
Middlewood Rd. L39 —3E **21**
Midhurst Dri. WN8 —6H **23**
Milford Clo. L37 —6B **12**
Millbank Brow. L40 —4F **17**
Millbrook Clo. WN8 —3C **22**
Millcroft Av. WN5 —4H **25**
Mill Dam Clo. L40 —5C **16**
Mill Dam La. L40 —5C **16**
Millers Ct. L39 —4F **19**
Miller's Pace. PR9 —2F **3**
Mill Gdns. L39 —5F **19**
Mill Ho. View. WN8 —2G **25**
Mill La. L39 —2B **20**
Mill La. L40 —2E **17**
Mill La. PR9 —6E **3**
(in three parts)
Mill La. WN8 —3D **22**
(Skelmersdale, in two parts)
Mill La. WN8 —1E **25**
(Up Holland)
Mill La. Cres. PR9 —6E **3**
Mill Rd. PR8 —6D **8**
Mill Rd. WN5 —4H **25**
Millrose Clo. WN8 —3D **22**
Mill St. L39 —5F **19**
Mill St. PR8 —3A **6**
Milman Clo. L39 —6D **18**
Milton Dri. L39 —5G **19**
Milton St. PR9 —2D **6**
Mitten's La. L37 —3F **13**
(in two parts)
Molyneux Rd. L39 —4E **21**
Monks Carr La. L38 —1H **15**
Monks Clo. L37 —6F **13**
Monks Dri. L37 —6F **13**
Monks La. L40 —1D **16**
Montagu M. L37 —2D **12**
Montagu Rd. L37 —1D **12**
Montgomery Av. PR9 —3E **7**
Montrose Dri. PR9 —6D **2**
Moor Clo. PR8 —3E **11**

Moor Dri. WN8 —6H **23**
Moorgate. L39 —5E **19**
Moorhouses. L38 —4B **14**
Moor La. L38 —3F **15**
(in two parts)
Moor La. PR8 —3E **11**
Moor Rd. WN5 —4H **25**
Moor St. L39 —4E **19**
Morley Rd. PR9 —6C **2**
Mornington Rd. PR9 —2A **6**
Morris Rd. WN8 —2E **25**
(in two parts)
Morven Gro. PR8 —2C **6**
Mosley St. PR8 —5H **5**
Moss Av. WN5 —6H **25**
Moss Bank. L39 —1F **21**
Moss Bank Ct. L39 —1F **21**
(in two parts)
Moss Delph La. L39 —1D **20**
Mossgiel Av. PR8 —1D **10**
Moss Grn. L37 —4F **13**
Moss La. L31 —6A **20**
Moss La. L38 & L23 —2C **14**
Moss La. L40 —1F **17**
Moss La. PR9 —2E **7**
Moss Nook. L40 —1E **17**
Moss Rd. PR8 —1H **9**
Moss Rd. WN5 —6H **25**
Moss Side. L37 —3G **13**
Moss View. L40 —1G **17**
Motherwell Cres. PR8 —6D **6**
Mt. House Clo. L37 —2G **13**
Mt. House Rd. L37 —2G **13**
Mount St. PR9 —2B **6**
Mount Ter. PR9 —2B **6**
Mount, The. WN8 —5F **23**
Mountwood. WN8 —1E **23**
Muirfield Dri. PR8 —1E **11**
Mullion Clo. PR9 —2F **3**
Munro Av. WN5 —3H **25**
Myrtle Gro. PR8 —3C **6**
Mystic M. L39 —4E 19
(off Burscough St.)

Napier Ter. PR8 —4G **5**
Narrow Croft Rd. L39 —2D **20**
Narrow La. L39 —2D **20**
Narrow Moss La. L40 —1E **19**
Nell's La. L39 —6B **20**
Nelson St. PR8 —3G **5**
Neverstitch Clo. WN8 —3D **22**
Neverstitch Rd. WN8 —4A **22**
Nevill St. PR9 —1H **5**
Newby Clo. PR8 —2D **10**
Newcastle Dri. L40 —6H **19**
New Causeway. L37 —6G **13**
New Ct. Way. L39 —4F **19**
New Cut La. PR8 —3G **9**
New Fold. WN5 —5G **25**
Newlands Av. L40 —3F **17**
New La. L39 —1G **21**
New La. L40 —1B **16**
New La. PR9 —3H **3**
Newlyn Dri. WN8 —6H **23**
New Rd. L37 —2F **13**
Newton St. PR9 —2D **6**
Nipe La. WN8 —3A **24**
Nixon's La. PR8 —4E **9**
Nixons La. WN8 —6H **23**
Noel Ga. L39 —2D **20**
Nolan St. PR8 —4A **6**
Nook, The. L39 —3E **21**
Norburn Cres. L37 —5E **13**
Norbury Clo. PR9 —2G **3**
Norfield. L39 —4F **19**
Norfolk Gro. PR8 —2F **9**
Norfolk Rd. PR8 —2F **9**
Norman Hays. L40 —1F **19**
Normanhurst. L39 —5G **19**
Norris Ho. Dri. L39 —3E **21**
Norris Way. L37 —4G **13**
Northam Clo. PR9 —2E **3**
N. Dunes. L38 —3B **14**
N. End La. L38 —1C **14**
Northfield. WN8 —1F **23**
Northleach Dri. PR8 —6A **8**
N. Moss La. L37 —1H **13**
North Rd. PR9 —3F **3**
North St. PR9 —1A **6**
Northway. L31 & L39 —6A **20**
Northway. WN8 —2F **23**
Norwood Av. PR9 —1C **6**

Norwood Cres. PR9 —2C **6**
Norwood Rd. PR8 —2D **6**
Nurseries, The. L37 —5F **13**
Nursery Av. L39 —3G **19**
Nursery Dri. L37 —5E **13**
Nuthall Rd. PR8 —6D **6**

Oak Av. L39 —5D **18**
Oak Cres. WN8 —4B **22**
Oakfield Dri. L37 —3C **12**
Oakfield Rd. L38 —5B **14**
Oak Grn. L39 —4F **19**
Oak St. PR8 —3C **6**
Oak Tree Ct. WN8 —2H **23**
Oakwood. WN8 —2H **23**
Oakwood Av. PR8 —5D **8**
Oakwood Dri. PR8 —6D **6**
Off Botanic Rd. PR9 —6E **3**
Old Acre. L38 —4B **14**
Old Boundary Way. L39 —3F **19**
Old Engine La. WN8 —3A **22**
Old La. L31 —6A **20**
Old La. L37 —1E **13**
Old Links Clo. PR9 —1F **7**
Old Mill La. L37 —3E **13**
Old Pk. La. PR9 —2E **7**
Old Rectory Grn. L39 —4C **20**
Old Town Ct. L39 —3D **12**
Old Town La. L37 —3D **12**
Olive Gro. PR8 —2C **6**
Olive Gro. WN8 —4D **22**
Onslow Cres. PR8 —1G **9**
Orchard La. PR8 —1F **11**
Orchard, The. L39 —4D **18**
Orchard View. L39 —2F **21**
Orme Ho. L39 —4G **19**
Ormskirk Bus. Pk. L39 —3F **19**
Ormskirk Rd. WN8 —4A **22**
(Chapel House)
Ormskirk Rd. WN8 —5F **23**
(Skelmersdale)
Orms Way. L37 —4D **12**
Orrell Hill La. L38 —3E **15**
Orrell La. L40 —2D **16**
Orrell M. L40 —2E **17**
Orrell Rd. WN5 —2H **25**
Orwell Clo. L37 —6C **12**
Osborne Rd. PR8 —5B **8**
Osbourne Rd. L37 —6D **12**
Ottery Clo. PR9 —2E **3**
Ovington Dri. PR8 —6C **6**
Owen Av. L39 —3F **19**
Oxford Ct. PR8 —5F **5**
Oxford Gdns. PR8 —5F **5**
Oxford Rd. PR8 —4E **5**
Oxford Rd. WN8 —4C **22**
Oxhouse Rd. WN5 —5H **25**

Paddock Rd. WN8 —4A **24**
Paddock, The. L37 —2F **13**
Paddock, The. L39 —6C **18**
Paddock, The. PR8 —1D **10**
Padstow Clo. PR9 —2F **3**
Page Ct. L37 —4E **13**
Palace Rd. PR8 —4E **5**
Palais Bldgs. L40 —2E **17**
Palatine Rd. PR8 —4F **5**
Palm Ct. WN8 —3C **22**
Palmerston Rd. PR9 —3D **6**
Palm Gro. PR8 —3C **6**
Paradise La. L37 —1E **13**
Parbold Clo. L40 —4E **17**
Pardos Ct. L40 —4F **17**
Park Av. L37 —6E **13**
Park Av. L39 —4E **19**
Park Av. PR9 —6C **2**
Park Clo. L37 —6D **12**
Park Cres. PR9 —6B **2**
Park Cres. Ct. PR9 —6C **2**
Parker Cres. L39 —2E **19**
Parklands. PR9 —1C **6**
Parklands. WN8 —3H **23**
Park Link. L39 —2D **20**
Park Rd. L37 —6D **12**
Park Rd. L39 —4E **19**
Park Rd. PR9 —6B **2**
Park Rd. W. PR9 —6A **2**
Park Wall Rd. L38 & L29 —4H **15**
Park Way. L37 —6E **13**
Parliament St. WN8 —1G **25**

Parr's La. L39 —3F **21**
Parsonage Clo. WN8 —2E **25**
Parsonage Rd. WN8 —2E **25**
Part St. PR8 —4G **5**
Pasture La. L37 —1H **13**
Pastures, The. PR9 —2H **3**
Patterdale Clo. PR8 —2D **10**
Paul's La. PR9 —4D **2**
Paxton Pl. WN8 —5A **24**
Peacehaven. WN8 —4C **22**
Peel Rd. WN8 —4B **24**
Peel St. PR8 —3D **6**
Peet Av. L39 —5D **18**
Peets La. PR9 —6E **3**
Pendle Dri. L39 —3G **19**
Pendle Pl. WN8 —5A **24**
Penketh Pl. WN8 —4A **24**
Pennington Av. L39 —3E **19**
Pennington Ct. L39 —3E **19**
(in two parts)
Penrith Av. PR8 —2E **11**
Penrose Pl. WN8 —5C **24**
Penty Pl. PR8 —3H **5**
Pershorne Gro. PR8 —1C **10**
Peters Av. L40 —3E **17**
Petworth Rd. PR8 —5B **8**
Philip Dri. PR8 —5F **9**
Phillips Clo. L37 —5E **13**
Phillip's La. L37 —5D **12**
Pickles Dri. L40 —3D **16**
Piercefield Rd. L37 —2E **13**
Pikelaw Pl. WN8 —4A **24**
Pilkington Rd. PR8 —4B **6**
Pilling Clo. PR9 —2D **2**
Pilling Pl. WN8 —4A **24**
Pimbo Ind. Est. WN8 —4A **24**
Pimbo La. WN8 —6D **24**
Pimbo Rd. WN8 —4A **24**
Pine Av. L39 —2F **19**
Pine Clo. WN8 —4D **22**
Pine Crest. L39 —1D **20**
Pine Dri. L39 —3F **19**
Pine Gro. L39 —2F **19**
Pine Gro. PR9 —2B **6**
Pinetree Caravan Site. L37 —2A **12**
Pinewood. WN8 —2H **23**
Pinewood Av. L37 —5C **12**
Pinewood Clo. L37 —5C **12**
Pinfold Clo. PR8 —2D **10**
Pinfold La. PR8 —2C **10**
(in two parts)
Pinfold Pl. WN8 —5B **24**
Pippin St. L40 —5A **16**
Pit Hey Pl. WN8 —4A **24**
Pitts Ho. La. PR9 —1F **7**
Pitt St. PR9 —3D **6**
Plantation Rd. L40 —3B **16**
Platts La. L40 —5D **16**
Plex Moss La. PR8 & L39 —4F **11**
Pool Hey La. PR8 & PR9 —6E **7**
Poolside Wlk. PR9 —3G **3**
Pool St. PR9 —2H **3**
Poplar Dri. WN8 —4D **22**
Poplar St. PR8 —3C **6**
Portland St. PR8 —3G **5**
Post Office Av. PR9 —2H **5**
Potter Pl. WN8 —4B **24**
Poulton Ct. PR9 —2D **6**
Poulton Rd. PR9 —2D **6**
Preesall Clo. PR9 —3D **2**
Prescot Grn. L39 —6D **18**
Prescot Rd. L39 —1F **21**
Prescott Rd. WN8 —5C **24**
Prestbury Av. PR8 —6B **8**
Preston New Rd. PR9 —5E **3**
Preston Rd. PR9 —1C **6**
Prestwood Pl. WN8 —5D **24**
Priesthouse Clo. L37 —4F **13**
Priesthouse La. L37 —4F **13**
Primrose Clo. L37 —2G **13**
Primrose Clo. PR9 —1G **3**
Prince Charles Gdns. PR8 —4F **5**
Princes St. PR8 —3G **5**
Priorswood Pl. WN8 —5D **24**
Priory Clo. L37 —5G **13**
Priory Ct. PR8 —3F **5**
Priory Gdns. PR8 —5F **5**
Priory Grange. PR8 —5G **5**
Priory Gro. L39 —5D **18**
Priory M. PR8 —3F **5**
Priory Nook. WN8 —2G **25**
Priory Rd. WN8 —2G **25**
Proctor Rd. L37 —3B **12**

Dolce Vita 90 Station Rd Ainsdale

Sycamore Dri. WN8 —3C **22**
Sycamore Gro. L37 —6B **12**

Tadlow Clo. L37 —6B **12**
Talaton Clo. PR9 —2E **3**
Talbot Dri. PR8 —3H **5**
Talbot St. PR8 —3G **5**
Tamneys, The. WN8 —4D **22**
Tancaster. WN8 —4C **22**
Tanfields. WN8 —4D **22**
Tanhouse Rd. WN8 —5G **23**
Tarleton Rd. PR9 —1E **7**
Tarlswood. WN8 —4D **22**
Tarn Brow. L39 —6C **18**
Tarn Rd. L37 —4C **12**
Tarnside Rd. WN5 —3H **25**
Tarvin Clo. PR9 —2H **3**
Tavistock Dri. PR8 —5B **8**
Tawd Brow. WN8 —5F **23**
Tawd Rd. WN8 —5G **23**
Taylor Av. L39 —4G **19**
Taylor St. WN8 —4A **22**
Teal Clo. L39 —1E **21**
Tedder Av. PR9 —2E **7**
Templemartin. WN8 —3D **22**
Tenby. WN8 —3C **22**
Tennyson Dri. L39 —3D **18**
Teversham. WN8 —3D **22**
Teviot. WN8 —3C **22**
Tewkesbury. WN8 —3C **22**
Thanet. WN8 —3D **22**
Thealby Clo. WN8 —3C **22**
Thirlmere Av. L37 —5F **13**
Thirlmere Av. WN8 —2F **25**
Thirlmere Dri. PR8 —2D **10**
Thirlmere Rd. L38 —3C **14**
Thirsk. WN8 —3D **22**
Thompson Av. L39 —4G **19**
Thornbeck Av. L38 —5B **14**
(in two parts)
Thornbridge Av. L40 —4E **17**
Thornbury. WN8 —3D **22**
Thornby. WN8 —3D **22**
Thorndale. WN8 —3D **22**
Thornhill. L39 —2D **20**
Thornhill Clo. L39 —3D **20**
Thornton. WN8 —3D **22**
Thornton Rd. PR9 —2D **6**
Thornwood. WN8 —3D **22**
Thoroughgood Clo. L40 —5D **16**
Thorpe. WN8 —3D **22**
Three Oaks Clo. L40 —5H **17**
Three Pools. PR9 —4G **3**
(in two parts)
Three Tuns La. L37 —4E **13**
Threlfalls Clo. PR9 —4D **2**
Threlfalls La. PR9 —5D **2**
Thurcroft Dri. WN8 —3C **22**
Thurlstone. L37 —3D **12**
Thursby Clo. PR8 —2D **10**
Thurston. WN8 —3C **22**
Tilcroft. WN8 —3D **22**
Timms Clo. L37 —2E **13**
Timms La. L37 —2E **13**
Tinsley Av. PR8 —6C **6**
Tintagel. WN8 —3B **22**
Tintern Dri. L37 —5G **13**
Tithebarn Rd. PR8 —3B **6**
Tithebarn St. WN8 —2F **25**
Tiverton Av. WN8 —3C **22**
Tollgate Rd. L40 —4B **16**
Tongbarn. WN8 —3C **22**
Tontine Rd. WN8 & WN5 —3G **25**
Torcross Clo. PR9 —2E **3**
Totnes Dri. PR9 —2E **3**
Tower Hill. L39 —4G **19**
Tower Hill Rd. WN8 —4E **25**
Tower Nook. WN8 —4E **25**
Town Grn. Ct. L39 —3E **21**

Town Grn. La. L39 —3E **21**
Town La. PR8 —5B **6**
(in two parts)
Tracks La. WN5 —6H **25**
Trafalgar Rd. PR8 —1E **9**
Trap Hill. L37 —5B **12**
Treen Clo. PR9 —1F **3**
Treesdale Clo. PR8 —5F **5**
Trent Clo. L40 —2F **17**
Trevor Rd. L40 —3D **16**
Trevor Rd. PR8 —1E **11**
Trinity Gdns. PR8 —3G **5**
Trinity M. PR9 —2A **6**
Truro Av. PR9 —2F **3**
Truscott Rd. L40 —3D **16**
Tudor Rd. PR8 —5B **8**
Tulketh St. PR8 —2H **5**
Turnacre. L37 —1G **13**
Turnberry. WN8 —3B **22**
Turnberry Way. PR9 —2H **3**
Turnpike Rd. L39 —1C **20**
Twistfield Clo. PR8 —4F **5**
Tyrer Rd. L39 —2F **19**
Tyrers Clo. L37 —5E **13**

Uidale Clo. PR8 —2D **10**
Union St. PR9 —1A **6**
Unit Rd. PR8 —6D **8**
Upholland Rd. WN5 —5H **25**
Up. Aughton Rd. PR8 —4G **5**
Uppingham. WN8 —4B **22**
Upton Av. PR8 —5B **8**

Vale Cres. PR8 —3E **11**
Vale La. L40 —1B **22**
Varlian Clo. L40 —6H **19**
Vaughan Clo. L37 —3C **12**
Vaughan Rd. PR8 —5H **5**
Vernon Rd. PR9 —1E **7**
Verulam Rd. PR9 —4F **3**
Vicarage Clo. L37 —3C **12**
Vicarage Clo. L40 —6H **19**
Vicarage La. L40 —6H **19**
Vicarage Rd. L37 —3C **12**
Vicarage Rd. WN5 —5H **25**
Vicarage Wlk. L39 —4E **19**
Victoria Bri. Rd. PR8 —3A **6**
Victoria Bldgs. L37 —2D **12**
Victoria Ct. PR8 —5F **5**
(in two parts)
Victoria Pk. WN8 —4B **22**
Victoria Pk. WN8 —4A **22**
Victoria Rd. L37 —2B **12**
Victoria Rd. L38 —4G **15**
Victoria Rd. L39 —6C **18**
Victoria St. L40 —2E **17**
Victoria St. PR9 —1H **5**
Victoria Way. L37 —2D **12**
Victoria Way. PR8 —2F **5**
Victory Av. PR9 —2E **7**
Village Way. L38 —3B **14**
Virginia St. PR8 —3A **6**
Vulcan Ct. PR9 —2A **6**
Vulcan St. PR9 —2A **6**

Waldron. WN8 —5B **22**
Walker Clo. L37 —5E **13**
Walk, The. PR8 —5G **5**
Wallcroft. WN8 —5C **22**
Walmer Ct. PR8 —5F **5**
Walmer Rd. PR8 —6G **5**
Walnut St. PR8 —5A **6**
Walro M. PR9 —4E **3**
Walton St. PR9 —1A **6**
Ward Av. L37 —5C **12**
Warper's Moss Clo. L40 —2F **17**
Warper's Moss La. L40 —2F **17**

Warren Ct. PR8 —4E **5**
Warren Grn. L37 —3C **12**
Warren Rd. PR9 —1E **7**
Warwick Clo. PR8 —6H **5**
Warwick St. PR8 —5H **5**
Washbrook Way. L39 —5E **19**
Watchyard La. L37 —4F **13**
Waterfoot Av. PR8 —2D **10**
Water La. PR9 —2H **3**
Waterloo Rd. PR8 —1E **9**
Watermede. WN5 —6H **25**
Waterworks Rd. L39 —3G **19**
Wavell Av. PR9 —2F **7**
Wavell Clo. PR9 —2F **7**
(in two parts)
Waverley. WN8 —4B **22**
Waverley St. PR8 —2G **5**
Wayfarers Arc. PR8 —2H **5**
Weaver Av. L40 —2F **17**
Welbeck Rd. PR8 —5F **5**
Welbeck Ter. PR8 —5G **5**
Welbourne. WN8 —5B **22**
Weld Dri. L37 —3C **12**
Weldon Dri. L39 —5F **19**
Weld Pde. PR8 —5F **5**
Weld Rd. PR8 —4E **5**
Wellcross Rd. WN8 —3F **25**
Wellfield La. L40 —6H **19**
Wellington St. PR8 —3G **5**
Welwyn Av. PR8 —5E **9**
Wennington Rd. PR9 —1D **6**
Wentworth Clo. PR8 —1E **11**
Wescoe Clo. WN5 —4H **25**
Wesley St. PR8 —2H **5**
Westbourne Gdns. PR8 —5D **4**
Westbourne Rd. PR8 —5D **4**
Westcliffe Rd. PR8 —4E **5**
Westgate. WN8 —4B **22**
Westgate Dri. WN5 —4H **25**
Westgate Ind. Est. WN8 —5B **22**
Westhaven Cres. L39 —2E **21**
Westholme Ct. PR8 —4A **2**
West La. L37 —1E **13**
Westminster Dri. PR8 —6A **8**
W. Moreland Rd. PR8 —4B **6**
Westridge Ct. PR9 —1B **6**
West St. PR8 —2G **5**
West View. L39 —4F **19**
West Way. L38 —3B **14**
Westwood Clo. PR8 —6C **6**
Whalley Dri. L37 —5F **13**
Whalley Dri. L39 —3E **21**
Whalley's Rd. WN8 —1F **23**
Wheatacre. WN8 —5C **22**
Wheat La. L40 —4G **17**
Wheatsheaf Wlk. L39 —4E 19
(off Burscough St.)
Whelmar Ho. WN8 —4G **23**
Whitburn. WN8 —4B **22**
Whitby Av. PR9 —1H **3**
Whitefield Clo. L38 —5B **14**
Whitehaven Clo. PR8 —2D **10**
Whitehay. WN8 —5C **22**
Whitehouse Av. L37 —4F **13**
Whitehouse La. L37 —4F **13**
Whiteledge Rd. WN8 —6F **23**
White Moss Rd. WN8 —6A **22**
White Moss Rd. S. WN8 —6A **22**
Whiterails Dri. L39 —3D **18**
Whitestock. WN8 —5C **22**
Whitstone Dri. WN8 —6H **23**
Whittle Dri. L39 —2E **19**
Wicks Cres. L37 —3B **12**
Wicks Gdns. L37 —4D **12**
Wicks Grn. L37 —4B **12**
Wicks Grn. Clo. L37 —3B **12**
Wicks La. L37 —4B **12**
(in two parts)
Wigan Rd. L39 —4F **19**

Wigan Rd. WN8 —5D **22**
Wignalls Meadow. L38 —4B **14**
Wigston Clo. PR8 —1D **10**
Wilcove. WN8 —4D **22**
Willard Av. WN5 —6H **25**
Willow Cres. L40 —1F **17**
Willow Dri. WN8 —4C **22**
Willow Grn. L39 —4F **19**
Willow Grn. PR9 —3G **3**
Willow Gro. L37 —3E **13**
Willow Gro. PR8 —2C **6**
Willowhey. PR9 —3D **2**
Willow Hey. WN8 —4D **22**
Willow Wlk. WN8 —1F **23**
Wilmcote Gro. PR8 —1D **10**
Wimbrick Cres. L39 —6D **18**
Windermere Cres. PR8 —2E **11**
Windermere Rd. L38 —3C **14**
Windgate. WN8 —5D **22**
Windmill Av. L39 —4F **19**
Windmill Heights. WN8 —1E **25**
Windrows. WN8 —4D **22**
Windsor Clo. L40 —4E **17**
Windsor Ct. PR8 —5E **5**
Windsor Rd. L37 —5D **12**
Windsor Rd. PR9 —3B **6**
Windsor Rd. WN8 —1E **25**
Windy Harbour Rd. PR8 —4E **9**
Winifred La. L39 —2C **20**
Winsters, The. WN8 —4D **22**
Winston Cres. PR8 —6C **6**
Witham Rd. WN8 —4B **22**
Withins Field. L38 —4B **14**
Withins La. L38 —1H **15**
Wollaton Dri. PR8 —6D **6**
Wolverton. WN8 —5D **22**
Woodcroft. WN8 —5D **22**
Woodfield Rd. L39 —6D **18**
Woodland Path. L37 & PR8 —4B **10**
Woodlands Clo. L37 —5C **12**
Woodlands Clo. L39 —5G **19**
Woodlands Rd. L37 —5C **12**
Woodlands, The. PR8 —6C **8**
Woodlea Clo. PR9 —2H **3**
Woodley Pk. Rd. WN8 —1F **23**
Woodmoss La. PR8 —6H **7**
Woodrow. WN8 —5C **22**
Woodside Av. PR8 —2D **10**
Woodside Clo. WN8 —1G **25**
Woodstock Dri. PR8 —3F **9**
Woodvale Airfield. L37 —5C **10**
Woodvale Rd. PR8 —3E **11**
Wordsworth Clo. L39 —3D **18**
Worthing Clo. PR8 —6F **5**
Wrights Ter. PR8 —6H **5**
Wright St. PR9 —2H **5**
Wrigleys Clo. L37 —2E **13**
Wrigleys La. L37 —2E **13**
Wyke Cop Rd. PR9 & PR8 —5H **7**
Wyke La. PR9 —1G **7**
Wyresdale Av. PR8 —5B **6**

Yellow Ho. La. PR8 —3H **5**
Yewdale. WN8 —4E **23**
(in three parts)
Yew Tree La. L39 —2E **19**
York Av. PR8 —4G **5**
York Clo. L37 —1E **13**
York Gdns. PR8 —4G **5**
York Mnr. L37 —4E **13**
York Rd. L37 —4F **13**
York Rd. PR8 —5F **5**
York Ter. PR9 —1A **6**

Zetland St. PR9 —2B **6**